D0191015

ACORIA JEUNESSE

Collection Jeunesse

Caya Makhélé

Dramaturge et romancier, Caya Makhélé est né au Congo-Brazzaville. Il travaille régulièrement avec des enfants dans différents pays francophones. Il est l'auteur de plusieurs ouvrages.

L'ENFANT SORCIER

Caya Makhele, Éditeur
12, rue du Quatre Septembre, 75002 Paris
Tél. : 01 40 20 46 65 — Fax : 01 40 20 46 63
Email : acoria@parisfree.com

ISBN 2-912525-24-1

Caya Makhélé

L'ENFANT SORCIER

illustré par
Ifé Orisha

12, rue du Quatre Septembre, 75002 Paris

à

Tansi
Ébra
Benjamin
et Mani

1

Une journée de plein soleil

Cette journée fut une journée comme les autres. J'avais couru, sauté, joué au football sous le regard admiratif de mon père, qui était persuadé détenir en moi un futur champion hors pair. Disons-le nettement, un champion du monde. J'étais fier d'être tenu en si grande estime par celui que toute la ville respectait.

Mon père était un homme adulé à Kuito, une grande bourgade que la guerre n'avait pas épargnée, au cœur de l'Angola, loin de la côte atlantique. Kuito était entre les mains des soldats du gouvernement, mais la ville était prisonnière de la horde de rebelles qui l'encerclait. Il faut dire que mon père était le premier Pasteur Baptiste africain de Kuito. Il officiait tous les samedis et dimanches dans son beau costume noir que rehaussait une belle chemise au col blanc, impeccablement repassée par maman. Il était tellement persuadé que je deviendrai un grand champion comme ceux que l'on voit dans les journaux, qu'il m'avait inscrit à l'école.

J'étais le seul garçon d'une famille de douze enfants. Les filles, mes sœurs, étaient envoyées par papa travailler à la mine d'or. Ainsi, disait-il, elles apprendraient le dur métier de femme et en même temps, elles ramèneraient un peu d'argent à la maison. Car, de l'argent, il en fallait pour mes études et papa n'en gagnait pas. Il était payé en retour de ses services religieux par les croyants avec des poules, du manioc et quelques autres victuailles difficilement gagnées par ses ouailles.

Nous habitions la région diamantifère la plus riche d'Angola, certains disaient même que c'était la plus riche d'Afrique. Sachant combien était grande l'Afrique, j'étais doublement fier d'habiter cette région si riche où les habitants mouraient pourtant de faim.

C'était peut-être aussi pour cette raison, que notre région était toujours en guerre. Les soldats de tout bord venaient ici régler leurs problèmes, sans compter avec les sécessionnistes qui vivaient dans les maquis alentour.

Mon pays était un des plus riches d'Afrique, plus riche en or et en pétrole, mais aussi en réfugiés venus du Rwanda, du Burundi, du Congo, de Namibie, de la Zambie et de l'Ouganda, riche en divers aventuriers, riche en affamés et surtout en enfants sorciers.

Les forêts alentour étaient infestés de rebelles et de brigands de grands chemins. On disait, qu'ils se préparaient à aller envahir Luanda, la capitale de mon pays.

Les enfants sorciers étaient des enfants abandonnés par leurs parents. Chacun d'eux avait une maladie inexplicable pour les gens d'ici.

Même le médecin, qui n'était en fait qu'un infirmier qui avait raté ses études de médecine, affirmait que les enfants sorciers avaient des maladies incurables et des intentions malveillantes, qu'ils étaient habités par le mal et ne pensaient qu'à fomenter des calamités surtout à l'encontre de leur propre famille, à laquelle ils reprochaient tous leurs malheurs.

La journée avait donc été une journée comme les autres. Une journée de plein soleil, d'école, de taquineries et de foot. J'étais allé narguer les enfants sorciers le long des marécages infectés de moustiques où travaillaient les chercheurs d'or.

Les chercheurs d'or creusaient de longues tranchées où ils déversaient des tonnes d'eau, afin de séparer la vase des pépites d'or. Ils s'échinaient ainsi toute la journée, souvent pour rien. Le soir, ils rentraient chez eux fourbus mais certains de trouver le lendemain la grosse pépite d'or qui ferait d'eux des millionnaires. Les enfants sorciers vivaient à proximité de cette vase, mais, de temps en temps, on les chassait à l'orée de la ville car, disait-on, ils portaient malheur.

Oui, tous les habitants de la ville étaient convaincus que ces enfants portaient vraiment malheur. C'était à cause d'eux que personne ne trouvait d'or dans les mines de la région la plus riche d'Afrique ; c'était aussi à cause d'eux que les organisations humanitaires ne venaient pas jusqu'à nous pour distribuer de la nourriture gratuite, alors qu'elles le faisaient dans plein d'autres endroits. Même qu'elles en jetaient par avion dans les champs et les forêts.

Bien souvent, des quantités énormes de nourriture pourrissaient dans la forêt, parce que personne n'osait aller en chercher, de peur de se faire tuer par des rebelles. On le savait puisqu'on le voyait de temps en temps à la télé de notre voisin l'épicier portugais.

Chaque parent qui voulait se débarrasser d'une bouche trop grande à nourrir, accusait son enfant de tous les maux du monde et le jetait à la rue sans ménagement, applaudi par les autres parents. L'enfant devenait ainsi aux yeux de tous un enfant sorcier. Dans notre ignorance, nous qui n'étions pas des enfants sorciers, nous allions chaque jour les taquiner en les poussant dans la vase et en les traînant nus à travers la ville, à la grande joie des adultes. Ces jeux cruels étaient notre distraction quotidienne au retour de l'école.

2

Un mal inattendu

J'allais régulièrement à l'école et ne me doutais pas qu'un destin particulier m'attendait.

La nuit était tombée. La ville s'était soudain plongée dans le noir. On voyait au loin un feu allumé par des chercheurs d'or sans domicile, qui dormaient à la belle étoile. Ils étaient venus de loin, des régions avoisinantes ou des pays limitrophes. Les

gens d'ici étaient toujours méfiants avec les étrangers. Ils étaient persuadés que ceux-ci étaient les complices des enfants sorciers puisqu'ils ne craignaient pas les malédictions qui les poursuivaient et les acceptaient autour de leur feu de camp, mangeant souvent avec eux.

La nuit était donc tombée et nous allions nous mettre à table lorsque je sentis une douleur aiguë aux genoux. C'était comme si l'on m'enfonçait de longues aiguilles dans les rotules. Je m'asseyais péniblement.

« Papa, j'ai mal aux genoux, me plaignis-je.

— Ce n'est rien, c'est la preuve que tu grandis, répondit-il négligemment. »

Je n'étais pas très satisfait de son explication. Je grandissais certes, mais les fois d'avant je n'avais jamais eu aussi mal, ni pour mes huit ans, ni pour mes dix ans, pourquoi maintenant que j'en avais treize, me fallait-il autant souffrir ? Pourquoi ? ? ?

« C'est que tu deviens un homme, mon fils. Tu es l'homme de la famille, tu feras de grandes études. J'ai eu de la chance avec toi. »

Je n'aimais pas ses grandes déclarations sur le magistral destin qui était censé m'attendre. Je voyais mes sœurs se recroqueviller dans un coin, avec la honte d'être des filles au creux du ventre.

Je finis rapidement mon plat d'igname et de poisson fumé et m'en allais me coucher. La voix de mon père retentit dans toute la maison.

« Salomon, as-tu fait ta prière du soir ? Salomon, tu m'écoutes ? »

Le pasteur avait encore frappé. Il ne manquait pas une occasion de me faire faire une prière. Je les connaissais toutes par cœur ses prières. Je les répétais toujours sans conviction, parce que je savais que chaque fois que j'avais demandé quelque chose au bon Dieu, celui-ci ne me l'avait jamais accordé.

« Quelques prières bien adressées au bon Dieu t'épargneront les misères de ce monde, ne cessait-il de me répéter. »

Comment un homme qui priait Dieu tous les jours, et prêchait le bien, pouvait-il traiter aussi mal ses enfants, même si ceux-ci étaient des filles ? Ça, je ne le comprenais pas. Il me semblait néanmoins que son comportement n'était pas juste.

Je m'étais couché avec la peur au ventre, car je venais de réaliser que j'avais complètement oublié de faire mes devoirs. J'avais tort de me soucier d'un détail aussi minime, puisque le maître qui avait un respect de dévot vis-à-vis de mon pasteur de père, laissait passer toutes mes turpitudes en classe.

Ce soir-là, je ne sais pourquoi, j'avais une grosse peur accrochée à mon estomac, sans compter avec mes genoux qui continuaient à me martyriser en déclenchant toutes les cinq minutes un concert d'élancements.

J'avais mal à ne plus tenir debout. C'était aussi ce qui m'avait décidé à aller me coucher très tôt. Je ne voulais pas montrer à papa que mes genoux enflaient démesurément.

Je me tordais dans tous les sens dans mon lit, un lit qui devenait, sans que je m'en aperçoive, trop petit pour mes longues jambes. Il grinçait comme un vieux rafiot sur une mer agitée par une nuit de grande tempête. J'étais en sueur et une atroce douleur dévorait mes jambes à présent. Puis, ce fut mon corps tout entier. Je grelottais de fièvre.

À l'aube, la douleur était telle que j'allais avouer à mon père que j'étais malade. Il fit venir le docteur, qui n'était pas un vrai docteur. Celui-ci, évidemment ne trouva rien.

« Il n'a rien, mon révérend, mais je crains fort que votre garçon, à force de fréquenter les enfants sorciers, je dis bien, les enfants sorciers, n'en devienne un lui-même. »

Qu'est-ce que c'était que cette histoire de fou ? Il devait avoir un grain le faux docteur pour oser mettre une telle idée dans la tête de mon père. Moi, je ne me sentais pas sorcier du tout malgré ma fièvre et mes douleurs aux jambes. Et d'ailleurs, ce n'était pas la première fois que la fièvre m'agressait. Nous avions beau habiter la région la plus riche d'Afrique, c'était aussi le plus grand repaire de moustiques.

Je ne souhaitais qu'une chose, que ce médecin de malheur sorte de ma chambre.

Je fus obligé de garder le lit plusieurs jours sous l'emprise de la fièvre. Je restais couché toute la journée, les jambes recroquevillées. Je n'osais les allonger de peur qu'elles ne me jouent je ne sais quel sale tour. Et je ne pensais pas si bien dire. Un soir, fatigué de garder la même posture des heures durant, je m'étirais de tout mon corps. Et là, stupeur ! Mes jambes dépassaient le lit de plusieurs centimètres. Je me levais lentement. Je n'avais plus mal, mais j'avais grandi pendant cette semaine d'atroces douleurs. Drôlement grandi. Trop grandi même. Ma tête touchait presque le plafond de la maison. J'étais plus grand que mon père, plus grand que le docteur, plus grand que la plupart des adultes de la ville. Qui avait bien pu me jeter un sort aussi néfaste ?

Au fond de moi, je savais que je n'étais pas un enfant sorcier, comme s'empresseraient de le crier haut et fort les voisins. Je ne pouvais me montrer comme ça à mon père et surtout pas à ma mère qui en serait morte sur le champ.

PASSE

3

Prisonnier des rebelles

J'avais décidé de m'enfuir. Je ne voulais pas vivre l'humiliation des enfants sorciers. Je préparais un petit sac de voyage, pris des vêtements et des chaussures appartenant à mon père, puis sortis furtivement dans la nuit. Mes parents et mes sœurs dormaient.

Je m'éloignais aussi vite que je pouvais de cette ville maudite. En passant devant le refuge des enfants sorciers, j'eus un pincement au cœur. Je regrettais ma méchanceté à leur égard. Je comprenais soudainement quelle pouvait être leur détresse. Je mesurais alors le poids de leurs malheurs et de la solitude dans laquelle ils vivaient.

Je marchais toute la nuit en suivant la grande route. De temps en temps, un camion passait à toute vitesse. Je me cachais dans les broussailles. Je marchais ainsi durant deux jours, jouant à cache-cache avec les camions et volant dans les champs du maïs ou du manioc pour me nourrir.

J'avais un peu d'argent sur moi que je gardais pour le dépenser à Luanda, où j'avais résolu de me rendre. Mais un jour, fatigué, je décidai de faire du stop.

Un véhicule s'arrêta, des hommes en armes descendirent et m'encerclèrent.

C'étaient des rebelles qui ratissaient la région.

Ils rançonnaient les femmes et les enfants, et enrôlaient les hommes de force.

« Les mains en l'air, vite ! »

Je m'exécutais sans attendre, avec la peur au ventre.

« Faites attention, il est peut-être armé !

— S'il bouge un seul doigt, je le mitraille ! »

Ils s'agitaient autour de moi, fouillaient dans mon sac poussant des cris d'intimidation. Ils n'avaient pas besoin de faire tout ce cinéma, car je mourais déjà de trouille. Mes jambes étaient flageolantes, ma bouche sèche et incapable de sortir un son, mon corps plein de sueur. Je claquais des dents sous un soleil de plus de trente degrés.

« Ce n'est pas un soldat.

— Ce n'est pas non plus un paysan, il a les mains trop propres, et il parle bien comme ces maudits fonctionnaires qui mangent notre argent, sans rien foutre.

— C'est peut-être un espion du gouvernement ?

— En tout cas c'est un homme riche. »

Ils venaient de trouver ma petite fortune cachée maladroitement dans ma chaussette gauche. Ils se partagèrent aussitôt le butin.

« D'où viens-tu et que fais-tu seul sur cette route, petit ? »

Je répondis d'une voix tremblante. Je racontais ma vie à Kuito, puis les nuits néfastes où mes jambes grandirent plus vite qu'il ne fallait, ma peur de décevoir mes parents, et ma fuite.

Ils en conclurent que j'étais un enfant sorcier. Ils éclatèrent de rire. Des rires qui me glaçaient le corps des pieds à la tête. Des rires qui résonnaient à travers la forêt comme une sentence. Mais laquelle ?

« Nous sommes tous des enfants sorciers. Tu es comme nous. Nous avons refusé de vivre dans l'humiliation c'est pourquoi nous avons décidé de devenir des rebelles. Veux-tu te joindre à nous ? »

J'avais peur de dire non, et répondis donc oui, pensant au fond de moi que je trouverais bien une occasion de leur fausser compagnie. J'étais assez fort à la course à pieds, malgré mes grandes jambes.

« Voici tes affaires. Ton argent, nous allons le partager. Ici, nous sommes solidaires. Nous nous partageons tout. »

Ils me firent monter dans leur véhicule qui démarra en trombe.

Voilà que j'étais devenu un rebelle. Mes journées se passaient dans la forêt à chercher à manger, à m'entraîner et à rigoler avec mes nouveaux amis. Chacun racontait comment on avait trouvé en lui le sorcier qui se cachait. Eux riaient de leurs malheurs, moi pas. Après tout, je n'avais que treize ans et je ne voulais pas vivre comme un repris de justice se nourrissant de rapines et dormant à la belle étoile.

Souvent, j'avais la nostalgie de Kuito, de mes sœurs et de ma mère si réservées. Même mes copains de classe me manquaient. Mon initiation dura une semaine. J'appris à me cacher, à traverser un village sans me faire remarquer, à me déguiser et à brouiller les pistes. J'avais refusé de toucher aux armes prétextant que mon fétiche me l'interdisait, qu'il suffisait que j'ai une arme dans les mains pour que la malédiction s'abatte sur tous ceux qui m'entouraient.

« Vous ne voulez pas vous faire prendre par ma faute, avais-je argumenté.

— D'accord. Toi la grande girafe, tu t'occuperas de vider les sacs des dames, même les vieilles. »

Ils m'avaient épargné le port d'arme et en profitaient pour me faire porter leurs butins.

Quelques jours plus tard, j'étais passé maître dans l'art de puiser dans les paniers des ménagères. Je le faisais à contrecœur. J'utilisais mes longs bras pour soutirer subrepticement les porte-monnaie qui dépassaient négligemment d'une poche ou d'un sac et m'éloignais à grandes enjambées. C'était facile pour quelqu'un qui avait d'aussi grandes jambes que moi.

Les jours passaient ainsi. Je me musclais et commençais à raisonner comme un voleur de grand chemin. Et cela m'inquiétait, je l'avoue, consi-

dérablement. Je ne voulais pas devenir un malfaiteur. On vivait d'une cachette à l'autre et moi, j'attendais avec impatience l'occasion de fausser compagnie à mes hôtes.

Cette occasion survint lors d'une excursion à Dondo, une ville voisine. L'année touchait à sa fin et les rebelles avaient décidé de fêter le nouvel an avec un repas pantagruélique en dévalisant un supermarché. J'étais chargé de repérer les lieux et de revenir leur donner les indications afin de concevoir notre plan d'attaque.

Je ne revins jamais.

À peine avais-je mis les pieds dans le supermarché, qu'avec mon argent de poche je m'achetais une nouvelle chemise. J'enlevais la fausse barbe que je portais, et me perdis dans le quartier le plus reculé de la ville où je me réfugiais dans un bar. Je commandais un jus d'orange et traînais là jusqu'au soir.

Les autres devaient se demander où j'étais passé. Je savais qu'il ne leur viendrait pas à l'idée que je m'étais enfui. Ils penseraient tout de suite que je m'étais fait prendre, et de peur que je ne les trahisse, se seraient enfuis loin de la ville. C'est ce qui se passa sûrement, car je n'entendis plus parler d'eux. À la tombée de la nuit, je repris ma route vers Luanda.

Maintenant, je n'avais plus peur de la nuit. Je savais me déguiser et déjouer tous les pièges des pillards de grands chemins. Je marchais de jour et de nuit, pendant une semaine, me nourrissant dans les champs. De temps en temps, je me mêlais à un flot de réfugiés pour marcher un bout de chemin. Mais souvent nos chemins se croisaient.

Eux fuyaient le Cuanza-Sud, moi je me devais de le traverser.

Quelque chose d'inexplicable m'attirait inexorablement vers Luanda la capitale du pays. J'en avais tellement entendu parler. J'étais certain d'y trouver un véritable médecin capable de me guérir de mon mal, car je n'avais cessé de grandir. Je devais à présent mesurer deux mètres. Cela ne pouvait continuer, sinon je ne saurais plus jamais comment passer inaperçu.

4

Un médecin pas comme les autres

J'arrivais enfin à Luanda. C'était une ville dix fois plus grande que Kuito. Ici aussi, la splendeur d'antan ne s'affichait qu'à travers les ruines des gratte-ciel et des édifices délabrés. La ville veillait sous une lumière blafarde issue de quelques lampadaires fatigués.

Le bruit, le va-et-vient incessant des passants, ainsi que leur indifférence me confirmaient que j'étais bien à Luanda.

Je me promenais au hasard des rues et tombais sur l'enseigne d'un médecin. J'étais persuadé qu'il en était un vrai, puisque son enseigne indiquait : « *Professeur Coulibaly, Diplômé des hôpitaux de Paris, de Genève, de Berlin, de New-York et de Bruxelles, médecine en tous genres. Spécialiste des maladies internationales* ». Je me dis qu'il pouvait donc me guérir de mon mal, car depuis, j'avais encore pris quelques centimètres. J'entrais donc dans le cabinet du médecin. La secrétaire me regarda longuement et me demanda :

« Pour quoi venez-vous, Monsieur ?

— Pour voir le docteur.

— Ça je le sais, mais pour quelle maladie ?

— Je vais le dire au médecin.

— Il faut me le dire à moi, pour

que je le marque sur la fiche que je vais lui remettre. »

De quelle maladie est-ce que je souffrais ? Je ne pouvais pas le dire, puisque je ne savais pas moi-même de quoi je souffrais. Je ne pouvais quand même pas lui avouer que j'avais treize ans. Oh, certes, je savais que je souffrais de trop grandir, mais comment se nommait cette maladie, ça, je n'en avais aucune idée. J'inventais donc une maladie, la plus grave que je puisse trouver.

« Je suis atteint de visions prémonitoires. »

Je n'eus pas à attendre longtemps car malgré la longue file de patients qui me précédait, je fus aussitôt reçu par le grand spécialiste des Hôpitaux de Paris, de Genève et de tant d'autres villes. Mon cas l'intriguait. Dès que je fus devant lui, il me dit, en gesticulant comme un singe :

« Alors comme ça, vous avez des visions prémonitoires, vous pouvez donc prédire l'avenir, êtes-vous un médium ?

— Non, j'ai dit cela pour pouvoir entrer, en vérité je souffre de grandir trop vite. Je n'ai que treize ans et tout le monde croit que je suis un adulte. »

Le médecin me regarda, incrédule, fit deux fois le tour de ma chaise et vint se rasseoir en face de moi.

« Bien, bien, bien ! Vous avez bien fait de venir me voir. Vous ne pouviez pas mieux tomber. Je suis le meilleur médecin de la ville, du pays et de l'Afrique. Vous savez, si j'étais un incrédule comme beaucoup de gens dans ce pays, je dirai que vous êtes un enfant sorcier. Mais moi, je suis un savant, un scientifique. Je vais vous mettre en observation dans mon laboratoire. Il faudra de longues expériences pour comprendre ce qui vous fait grandir aussi vite. Je sens qu'avec vous, je vais avoir le Prix Nobel de Médecine. En attendant de vous emmener au laboratoire, je vais organiser une conférence de presse pour expliquer votre cas au monde entier. Je vais devenir célèbre grâce à vous mon ami. Attendez-moi là, surtout ne bougez pas, je vais dire à ma secrétaire de convoquer immédiatement la presse. Formidable, je viens de faire la découverte du siècle ! »

Dès qu'il sortit de la pièce, je m'empressais de m'en aller par la fenêtre. Je n'eus aucun mal à enjamber la rambarde qui était bien basse.

J'étais persuadé qu'un médecin qui me prenait pour une bête curieuse et un futur cobaye, ne pouvait me guérir de mon mal. J'avais aussi désormais conscience que plus personne ne pouvait me guérir, que j'étais condamné à vivre dorénavant avec ma grande taille.

J'errais longtemps dans la ville. La journée était avancée. Je me retrouvais aux abords d'un gymnase sur l'avenue Agostino Néto, et m'asseyais sur un banc à moitié cassé. Je voyais des sportifs entrer et sortir. Le seul sport que je pratiquais était le football. Mais là, il me semblait que les gens jouaient à autre chose qu'au football.

J'étais curieux de savoir quel sport s'exerçait dans ce bel endroit. J'entrais furtivement dans le gymnase. Personne ne fit attention à moi. Et là, à ma grande stupeur, je vis des gens qui me ressemblaient jouant au basket-ball.

Je crus un instant que c'était une réunion d'enfants sorciers. Je réalisais vite la naïveté de mon saisissement. Miracle, ils étaient tous grands et ne semblaient pas en souffrir. Au contraire, ils utilisaient leur grande taille pour déposer la balle dans le panier. Le basket était devenu célèbre dans notre pays, parce que la sélection nationale avait participé aux Jeux Olympiques d'Atlanta. Elle avait même affronté des équipes comme celle de la Chine, de l'Argentine et du Brésil. Tous les reportages vantaient les mérites des champions africains de la NBA.* Leurs noms me revinrent aussitôt en mémoire : Hakeem Olajuwon venu du Nigeria, qui jouait à Houston et Dikembé Mutombo de l'ex Zaïre, vedette d'Atlanta. Je me calais sur un banc et regardais attentivement les joueurs s'affronter, essayant de comprendre les règles du basket-ball.

Tout me semblait étrangement clair et simple. Comme si j'avais toujours joué à ce sport dans une autre vie. Et pourtant, je découvrais là un monde merveilleux de gens qui

*\- *National Basket-ball Association, organisme qui supervise le championnat de basket-ball professionnel aux États-Unis.*

étaient grands et n'en souffraient pas, des gens qui ne me regardaient pas comme une bête de foire.

54

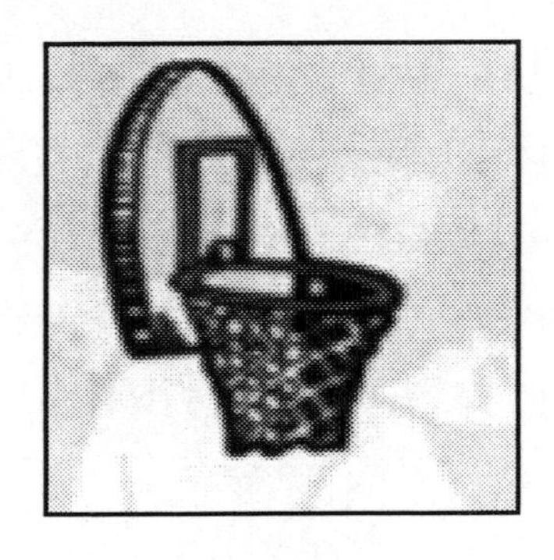

5

Le dunk* de l'espoir

J'étais assis au gymnase à côté d'un vieil homme. Il s'était endormi et ronflait aussi fort qu'une vieille locomotive à vapeur.

Je lui donnais un coup de coude.

« Pourquoi me réveilles-tu fiston ? C'est pas des manières de réveiller les vieilles personnes.

— Vous dormez au lieu de regarder les entraînements et vous ronflez, cela risque de gêner les joueurs.

---

*- *Smash réalisé après une suspension spectaculaire.*

— Tu sais, quand il y a les matchs, les gens font plus de bruit que moi, et puis les joueurs sont habitués à me voir dormir. Je suis le gardien du gymnase, la nuit je veille et le jour je dors.

— Vous vivez ici ?

— Oui.

J'avais l'impression que ce vieil homme habitait le paradis.

— Vous avez bien de la chance, lui dis-je. Quel bonheur d'habiter ici.

— Pourquoi ?

— Vous vivez dans un endroit vraiment merveilleux ! !

— Si vous le dites. Et vous, où vivez-vous ? Vous n'êtes pas un sans domicile fixe ?

— Je viens d'arriver en ville, je n'ai pas de travail et je ne sais où dormir. »

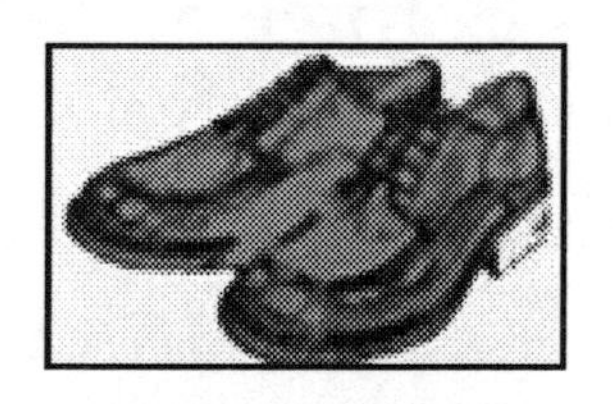

Le vieil homme me toisa des pieds à la tête et dit :

« Je suis un vieil homme fatigué et j'ai besoin de quelqu'un pour m'aider. Puisque tu me sembles honnête, je veux bien te prendre avec moi, comme ça la nuit je dormirai et toi tu veilleras. »

J'eus envie de l'embrasser, mais je me retins. Déjà qu'on me prenait pour un enfant sorcier, si en plus je me mettais à embrasser des vieillards dans les stades, on me prendrait carrément pour un fou. Le vieil homme remarqua le bonheur qui irradiait mon visage et eut un sourire de satisfaction, puis se rendormit. Cette fois, je le laissai dormir et ronfler à sa guise.

La nuit tomba bien vite. Les joueurs et les quelques rares spectateurs s'en allèrent. Le vieil homme me fit visiter le gymnase dans ses moindres

recoins. Il m'expliqua comment faire une ronde et me donna le trousseau de clefs qui me permettait d'entrer partout où je le souhaitais. Il s'en alla ensuite se coucher. Maintenant que j'étais là, il allait enfin dormir en paix.

Lorsque je fus certain que le gymnase était tout à moi, que personne ne pouvait me voir, je me saisis d'un ballon et me mis à jouer. Le bruit du ballon rebondissant sur le parquet inondait la nuit et ma tête comme un beau rêve. Je dribblais, allant d'un panneau à l'autre, jouant un match imaginaire contre moi-même d'abord, puis contre des adversaires fictifs. Je ratais tous mes tirs au panier. Ce qui m'avait semblé si facile s'avérait plutôt difficile.

La journée venue, j'observais attentivement les joueurs et écoutais les conseils de l'entraîneur comme si je faisais partie de son équipe. À la tombée de la nuit, dès que le dernier joueur avait quitté le stade et que le vieux gardien s'était endormi, je m'élançais sur le parquet à mon tour. Mes oreilles se remplissaient alors des clameurs d'un public fictif. Je me remémorais tout ce que j'avais vu et entendu dans la journée et tentais de le faire à mon tour. Chaque panier marqué, chaque dribble et dunk réussis, me comblaient d'une immense joie.

En nettoyant la salle — ce qui faisait également partie de mes attributions — je ramassais tous les journaux qui traînaient. Je me réjouissais d'avoir été suffisamment assidu à l'école pour savoir lire. Je pouvais ainsi lire tout ce que je glanais.

J'entrais grâce à ces journaux, dans un univers magique. J'y appris les termes techniques et les règles du basket-ball, mais aussi la vie fabuleuse de joueurs comme Michæl Jordan, Shaquille O'Neal, Richard Dacoury, Charles Barkley, Moustapha Sonko, Scottie Pippen. Chaque nuit, je jouais jusqu'à l'aube, avec ou contre ces prestigieux joueurs, puis allais me coucher, non sans avoir réveillé le vieil homme, qui désormais, était comme un grand-père pour moi.

Celui-ci, tiré de son sommeil me disait à chaque fois :

« Fiston, je suis sûr qu'il y a un fantôme dans le gymnase. Je l'entends jouer toutes les nuits au basket, des matchs entiers, fiston.

— Mais non grand-père, c'est le vent.

— Alors, j'ai dû rêver. »

Et il se rendormait aussi sec.

Ma nouvelle vie se déroulait ainsi, paisiblement. Je me réjouissais de ne plus avoir à vider les paniers d'honnêtes ménagères. Je me conten-

tais désormais chaque nuit de remplir les paniers de basket. Je suivais tous les entraînements et les matchs de l'équipe, qui s'appelait les Tigres.

Ces tigres ne me semblaient pas dans une forme redoutable. Ils s'étaient fait écraser lors de leurs trois dernières rencontres contre des équipes qui paraissaient moins fortes. L'entraîneur n'était pas content de ses gars, mais pas du tout !

Plus l'équipe se faisait battre, plus je redoublais d'ardeur à mes entraînements nocturnes. Ce que je ne savais pas, c'est que le vieil homme, intrigué par les bruits que faisait son fantôme de basketteur, venait m'observer chaque nuit.

Cela dura plusieurs nuits de suite. Je ne m'en aperçus jamais. Depuis la nuit où il me vit m'entraîner en solitaire, il ne me parla plus de son fantôme. Je l'aimais tendrement.

Il avait réussi à me faire oublier tous mes malheurs d'antan.

La saison de basket-ball tirait à sa fin et l'équipe des Tigres jouait son dernier match dans le gymnase. C'était ce qu'on appelait un match à domicile. Un match décisif. Il leur fallait à tout prix le gagner, ce match, sinon c'était la relégation en deuxième division. J'étais aussi fébrile que les joueurs. Je me sentais solidaire de leur détermination. Le public aussi était au rendez-vous, avec des banderoles, des tambours, des trompettes et des drapeaux. Il faisait un vacarme à réveiller tous les morts de la terre et du ciel réunis. Le vieux avait mis son plus beau costume comme pour aller à un mariage. Ainsi habillé, il avait de la prestance.

Le match commença en faveur de l'équipe adverse. Les cœurs se serrèrent. Les joueurs de tambours

redoublèrent d'ardeur afin de remonter le moral des Tigres. Puis le match s'équilibra, passant même un instant en faveur des Tigres. Cela ne dura vraiment qu'un court instant. Les Tigres furent à nouveau menés, lorsque survint la grande catastrophe. Eusébio, l'attaquant vedette des Tigres, traîtreusement bousculé par un adversaire, fit une mauvaise réception sur sa jambe gauche et se foula la cheville. Un cri de désespoir emplit le gymnase en écho au cri de douleur que lâcha le pauvre joueur. L'entraîneur des Tigres se prit la tête dans les mains et refusa de regarder la scène. Les joueurs des deux équipes se précipitèrent les uns sur les autres et une grande bagarre s'en suivit. Les arbitres réussirent à calmer tout le monde à grand renfort de coups de sifflets rageurs. J'avais le cœur serré lorsque Eusébio fut porté sur le banc de touche. Un silence de mort succéda aux cris et aux invectives de la foule et des joueurs.

C'est alors que le vieux se leva et s'approcha de l'entraîneur. Il lui parla brièvement à l'oreille. Celui-ci se retourna et me regarda longuement, puis me fit signe d'approcher.

« Change-toi fiston et va sur le parquet.

— Moi ? Mais...

— Oui, toi et on ne discute pas les ordres de l'entraîneur. De toute manière, je n'ai pas le choix, perdu pour perdu, je peux bien faire plaisir à un vieux fou. »

J'entrais sur le stade sous les regards de colère des joueurs assis sur le banc de touche. Ils étaient étonnés que l'entraîneur fasse appel à un inconnu. C'était ma chance, et j'étais déterminé à la saisir.

J'entrais surtout sous les huées du public qui ne reconnaissait pas en moi une de ses idoles habituelles.

Il me suffit de toucher ma première balle pour que tous mes matchs nocturnes me reviennent en mémoire. Mes adversaires et mes partenaires fictifs étaient enfin devenus réels. Le bruit du ballon et le crissement des chaussures sur le parquet, les mains et les pieds qui virevoltaient, tout cela était vrai.

Je ne rêvais pas. Je me sentais un peu dans la peau d'un joueur de la Dream-Team, avec une énorme responsabilité sur les épaules. Chaque panier que je marquais était dédié au vieil homme qui m'avait si chaleureusement accueilli et hébergé. Je lui lançais un petit regard de gratitude et le vit danser comme s'il avait retrouvé ses vingt ans. Lorsque sur un dunk retourné j'inscrivis les deux points de la victoire, alors que le panneau tremblait encore sous la violence de mon smash, le stade se leva comme une houle sauvage. Je me sentis alors soulevé par mille bras qui me portèrent en triomphe.

Pendant que la fête de la victoire battait son plein dans la joie et les effusions, je m'approchais du vieux et lui demandais comment il avait fait pour persuader l'entraîneur de me laisser jouer. Il me regarda avec tendresse et me répondit d'un air malicieux :

« Il ne peut rien me refuser, je suis son père. Après tout, c'est moi qui lui ai appris à jouer au basket. »

Dès cet instant, je sus que je n'étais plus un enfant sorcier. J'étais redevenu un être humain, même si le public et la presse me surnommèrent par la suite : *le sorcier du basket-ball.*

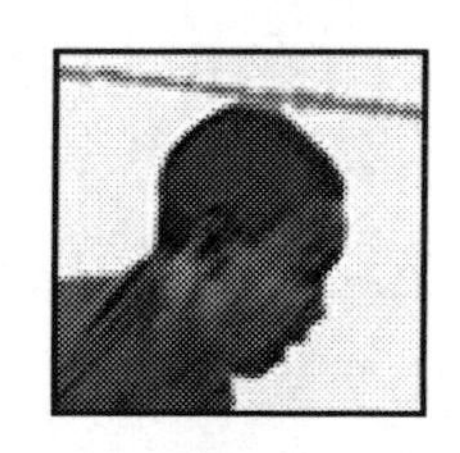

Texte parus
dans la
Collection Jeunesse

Le nain volant
de Kagni Alem

Le grand cirque de Pyongyang vient d'installer ses quartiers dans la petite cité minière de Mola, avec dans ses bagages une attraction de choix : Kim, le nain trapéziste. Toute la ville se prépare à assister au spectacle unique que vont donner ces artistes venus d'au-delà des mers. Le jour du spectacle, le jeune Bonito sera malencontreusement privé de cirque : il doit aider à la maison sa mère atteinte de malaria. Bien après le départ du cirque, il ira rôder tous les jours sur la place où se trouvait le chapiteau. Un soir, par miracle, le nain volant surgit de l'ombre et l'entraîne dans une série d'aventures.

L'atelier des génies
de Tanella Boni

L'arrivée d'une télé chez Kazié le commerçant allait permettre aux enfants de sortir un peu du village. Or c'est la télé qui, une nuit, disparaît.
Sur ses traces, trois enfants pas tout à fait comme les autres vont apprendre, de l'autre côté de la réalité, ce qui fera d'eux des hommes libres de créer, de donner du sens aussi, à cet objet un peu magique, par lequel tout a commencé, mais qui n'est rien sans l'alchimie des ancêtres et du monde merveilleux qui les entoure...

Quand la forêt parle
de Brigitte Tsobgny

Et si on allait à Édonmélinga, un village perdu au fin fond de l'Afrique, dans la forêt de Nkolomédzi ! Une forêt avec de grands arbres larges comme des maisons, hauts comme des gratte-ciel ; la forêt des pygmées, des bossus, des araignées velues, des insectes verts, bleus, venimeux, gentils ; une forêt équatoriale. Dans ce village, vivait un homme, Kongolibon. Il rêvait d'avoir beaucoup d'enfants, de beaux mâles robustes et forts comme des baobabs de la forêt. Mais Méfala, son épouse, donna naissance à Afidji, une petite fille maigre comme une sauterelle.

Le rêve de la baleine
de Yves Sauton

« Le jeune homme joue avec sa lame lorsqu'un objet vient frapper le couteau et l'entraîne loin dans la nuit. Mathias a cru reconnaître un boomerang, mais il se dit que c'est impossible. Soudain, il entend un chant qui lui est familier, l'un des fameux chants des pistes aborigènes. »
Voici l'histoire de Mathias, grand-père délaissé, qui part en Australie retrouver la baleine qui rêvait le Monde.

Mayiléna
de Pius Ngandu Nkashama

Dès le matin, les piroguiers. Ils s'évertuent à pagayer vigoureusement. Ils poussent leurs barques par-dessus les nénuphars et les jacinthes d'eaux. Les écumes grondent en abondance et font « pirouetter » des tourbillons gigantesques autour des chaloupes. Des clartés nouvelles font scintiller les vagues. Je vais souvent m'asseoir tout près des berges. Lorsque les hommes remontent des filets pleins à craquer de poissons qui ondoient, je sens les larmes m'inonder les yeux.
Ainsi parle Mayiléna, cette belle adolescente qui raconte son pays, ses premières amours, les retrouvailles avec ses parents et plein d'autres aventures.

Cet ouvrage a été réalisé
par les Ateliers graphiques Acoria
Reproduit et achevé d'imprimer
pour le compte des
Éditions Acoria
12 rue du 4 septembre
75002 Paris
sous la direction de Caya Makhélé

Dépôt légal : décembre 2001
(*Imprimé en U.E.*)